郑栗儿/著

陶一山/绘

大师密码 A－Z系列

# 大师密码W

## 是谁在搞鬼?

人民东方出版传媒
People's Oriental Publishing & Media
東方出版社
The Oriental Press

图书在版编目（CIP）数据

大师密码 . W，是谁在搞鬼？/ 郑栗儿著；陶一山绘 . —北京：东方出版社，2015.11

ISBN 978-7-5060-8747-6

Ⅰ. ①大… Ⅱ. ①郑… ②陶… Ⅲ. ①儿童故事—作品集—中国—当代 Ⅳ. ① I287.5

中国版本图书馆 CIP 数据核字（2015）第 267096 号



大师密码 W：是谁在搞鬼？
（DASHI MIMA W: SHISHUI ZAI GAOGUI？）

作　　者：郑栗儿
绘　　者：陶一山
产品经理：张媛媛
责任编辑：张媛媛
出　　版：东方出版社
发　　行：人民东方出版传媒有限公司
地　　址：北京市东城区朝阳门内大街 166 号
邮政编码：100706
印　　刷：小森印刷（北京）有限公司
版　　次：2016 年 3 月第 1 版
印　　次：2016 年 3 月第 1 次印刷
印　　数：1—5 000 册
开　　本：720 毫米 ×950 毫米 1/16
印　　张：5
字　　数：48 千字
书　　号：ISBN 978-7-5060-8747-6
定　　价：18.00 元
发行电话：（010）64258117 64258115 64258112

# 目录

# 出版前言

每个父母都希望孩子未来能出类拔萃，并在孩子的教育问题上倾尽心力。

许多孩子长大后成熟乐观，在社会上如鱼得水，但不少人成年后并不快乐。他们即使地位显赫、经济条件优越，依然郁郁寡欢。带来快乐的因素有很多，其中起决定作用的则是人格。面对同样的问题，不同的人格往往造就不同的结果。

怎样才能培养健全的人格？我们不妨到传统文化中去寻找答案。几千年来，儒、道、佛相得益彰，共同塑造着国人的精神世界。儒家关切社会的治理，道家关怀生命自然状态的保持，而佛家则关心人生痛苦的解除。故此，历史上就有“儒家治世、道家治身、佛家治心”的说法。

今天很多人习惯于将佛教简单理解为一种宗教，有的人甚至认为它是封建迷信。如果去掉宗教的外衣，它其实是一座充满智慧，兼具心理、品德教育功能的文化宝库。

为此，我们从台湾引进了这套“大师密码”A–Z 系列。这套书以 130 个佛教大师的成长故事，体现了 130 个美好的人格特质。沉着、孝顺、无畏、远见……从这些有趣的故事里，孩子们不但可以学会如何获得成功，更能明白如何倾听内心的声音，获得快乐。

这套书结构编排巧妙，集合了台湾优秀的作家及插画师。书中故事生动活泼，插画精美，在台湾广受好评，曾获得台湾“第 27 次中小学生优良课外读物推介”。相信它同样会得到大陆青少年朋友的喜爱。

# 大师的密码　成功的特质

在我还是青少年时，就很喜欢阅读佛教大师的传记故事。可以说，我的人格就是从阅读大师的史传故事，点点滴滴建立起来的。

不论大人、小孩都喜欢读故事，法鼓文化历时两年的筹备，制作了这套有丰富精美插画的“大师密码”A–Z 系列。这套书中，选出 130 个“大师的美好特质”，一个特质就是一个大师故事，让孩子在趣味的故事中自然吸收大师的养分。

我曾指出佛教的高僧必须具有四大条件：持戒清净、修行精进、慈悲济众与护持佛法；如果转换成现代人的语汇，就是自律、认真、宽大、懂得回馈，而这些正是所有成功人士必备的条件。

很多家长以为孩子学佛会变得消极、不具竞争力；如果从大师的四大条件来看，这样的想法完全错误！孩子接触佛法绝对会更积极、健康，能为他们的一生奠定稳固的基础。

大师们的成就绝非偶然，也没有人一出生就是大师，父母应该提供这样的环境，让人格正在成长形塑中的孩子，吸收历代大师们的生命菁华，转化为他们自己的。我相信这一套“大师密码”A–Z 系列，能够成为孩子们成长的助缘！

聖嚴

台湾法鼓山禅修文教体系创办人

# 是谁在搞鬼？

大师密码

## Wisdom 明智

印度昙无忏身世凄凉，他六岁时父亲去世，之后就靠着母亲织毯抚养他与哥哥。后来哥哥当了驯象狮，他则出家为僧，不料哥哥却因意外杀死国王的爱象而被赐死，让他又失去了同胞手足。但是昙无忏并没有因此对生命绝望，反而更加勤奋好学，突破人生局限。

昙无忏十分聪明，十岁便能一天背诵三百颂佛经。他原本学的是小乘佛法，后来改学大乘佛法，这是因为后来遇到了白头禅师，两人足足辩论了一百天，他才服气地转学大乘佛法。当他二十岁时，已能熟知六万多颂大小乘佛典。

昙无忏有个外号叫大咒师，这是因为他持咒很灵验，成功祝福过许多人渡过难关。因此被北凉国沮渠蒙逊请进皇宫译经，后来不幸被暗杀，但他已成为历史上重要的译经大师。

### 小档案 昙无忏

- 国籍：印度
- 别称：大咒师
- 专长：持咒、译经
- 影响：为中国佛教重要大译师
- 事迹：以智慧化解印度国王对他的杀机

古印度有一对年轻的兄弟，他们的感情非常深厚。哥哥是一位驯象师，非常了解大象的习性，许多坏脾气的大象，经过他的细心照顾，都可以慢慢地被驯服；弟弟则是一位很有智慧的出家人，年纪轻轻就已经读遍所有的佛经，成为一名得道的大师。

有一天，弟弟昙无忏经过哥哥在森林工作的地方，便顺道过去探望，这时他看见一头巨大的大象，脚上只拴着一条小铁链而已，就乖乖地待在原地，不敢乱动。

昙无忏好奇地问哥哥说："这头大象的力气那么大，真要逃跑的话，那小小的铁链怎么能拴得住它呢？难道它都没有试着逃跑过吗？"

哥哥大笑一声说："这就是大象愚昧的地方，要驯服一头象，要在它小时候用铁链拴住它的脚，因为幼象的力量小，怎么逃都逃不出铁链的束缚，以后每次用铁链铐住象脚时，它知道逃跑不了，自然就放弃了挣扎。等到象长大后，仍以为还是这样，不知道自己早已力大无穷，随便使出一点力气，就可以轻易挣脱了。"

昙无忏听后，感触很深地说："可见一个人的习性和观念养成以后，是多么根深蒂固，就像大象一样难以改变啊！"

从此，昙无忏跟人讲经说法时，都会以大象为例，教人不要随便养成坏习惯，否则积久成习，就很难改正了。

几个月后，国王打猎时捕获了一头珍贵的白耳大象，但这头大象暴躁易怒，谁都不敢接近它。国王知道昙无忏的哥哥很会驯象，就命令他过来驯服这头白耳大象。

哥哥为难地说：“这头象已经壮年了，而且野惯了，不适合养在宫内，还是放它回森林吧！”

国王生气地说：“这可是稀有难得的品种，怎能说放就放？我不管，无论如何，你一定要把它驯服。”

哥哥不得已接下这个艰巨的任务。当他骑到大象身上时，果然大象像发疯似的狂奔疾跳。哥哥在十分危急的情况下，为了自卫，只好拔剑杀死了它。

国王一听白耳大象被昙无忏的哥哥杀死了，愤怒地下令：“来人啊！把他拖出去斩了！”

可怜的哥哥还来不及为自己辩解，就被国王处死了，而且国王还生气地说：“谁敢去收尸，一律抄家灭族，就让他的尸体给野兽吃了。”

当哥哥出事的消息传到昙无忏耳朵里时，他不顾旁人的劝阻，赶去刑场看哥哥，只见原本生龙活虎的哥哥已经变成了一具死尸，这令他难过不已，昙无忏哭着埋葬了哥哥。

国王得知此事后，命士兵把昙无忏押来审问：“你明明知道我已经下令不准去见他，竟然还敢去为你哥哥下葬，我看你是活得不耐烦了！”

昙无忏无惧于权威，依然神色自若，理智地说：“我哥哥虽然犯了错，但已依照王法被处死了，而我是他的亲弟弟，所以依照伦理埋葬了他，请问我哪里有错呢？”

旁人一听，吓得双腿发抖，不敢吭声，不知道国王又会气成什么样。没想到国王竟被昙无忏这一番慷慨陈词打动了，他沉思了一会儿说：“你说得没错，你哥哥已经受到了应得的惩罚，我就放过你吧！”

国王很欣赏昙无忏的智慧，请他留在宫中接受供养。由于昙无忏的持咒非常灵验，时常为宫廷消灾解厄，让国家得到平安，所有西域各地的人都尊称他为“大咒师”。

后来他赴各国游历，来到了北凉国。北凉王沮渠蒙逊原本身体很健康，可是无缘无故生了一场大病，看遍所有的名医就是医不好。

昙无忏拜见沮渠蒙逊后，很坦诚地说：“皇上，你应该诵读《法华经》中的《普门品》❶一章，并多念观音菩萨名号，自然可以消障去病。”

沮渠蒙逊有气无力地回说：“我都没力气说话了，哪儿还有力气念《普门品》呢？”

昙无忏又郑重地说：“皇上，不瞒你说，这王宫里到处都是杀戮的气息，就是因为这样，你才会生病。”

❶**《普门品》**:《法华经》卷七的《观世音菩萨普门品》，又称《普门品》。内容为介绍观世音菩萨普门示现的妙用。

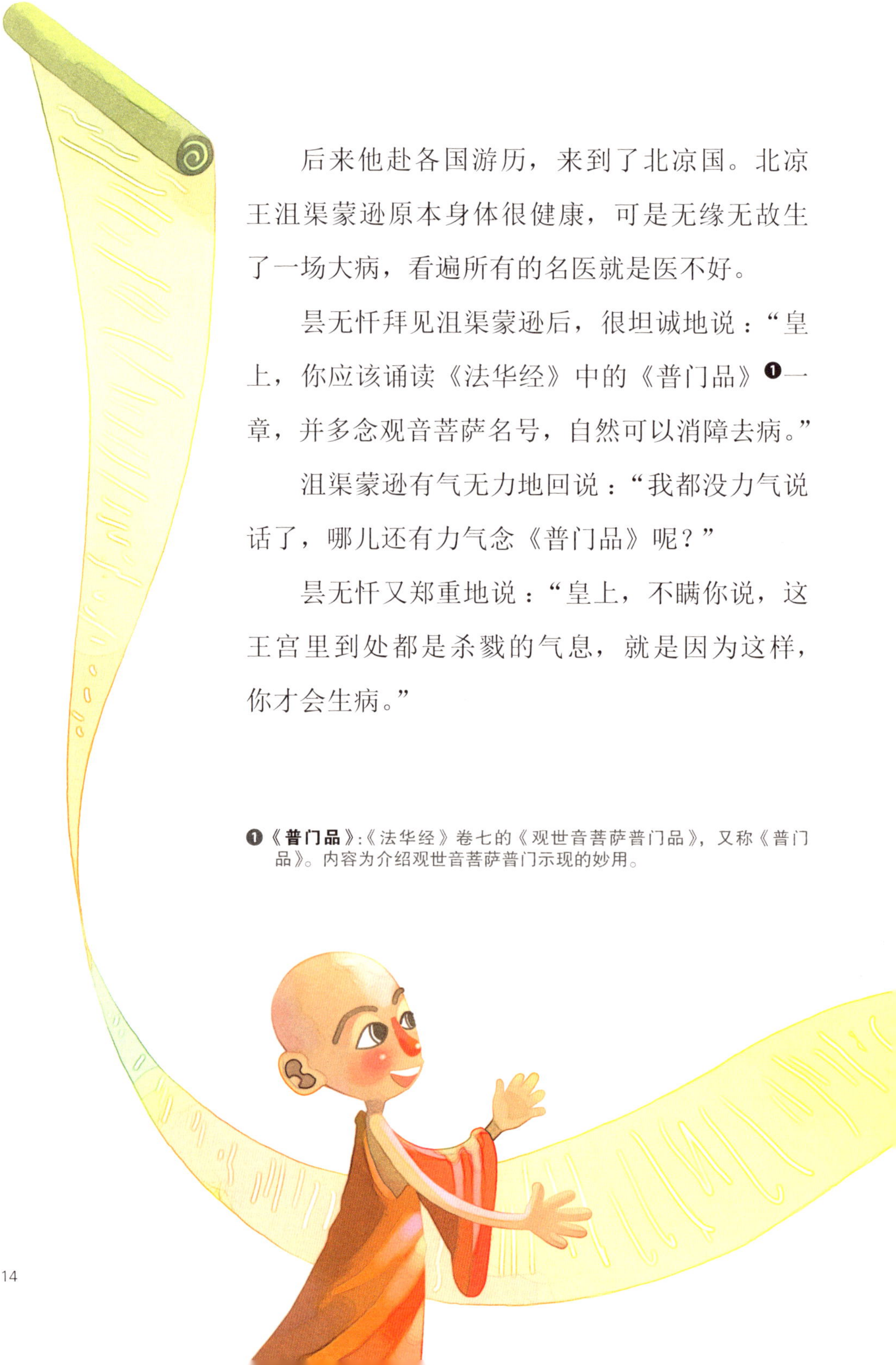

在五胡十六国时期，整个中国从北到南，到处是战争的痕迹，也难怪王宫中弥漫的杀戮气息，但沮渠蒙逊不信。昙无忏便施了一点小幻术，让其仔细再看清楚周围："皇上，你看见了什么？"

沮渠蒙逊满脸惊骇地说："好可怕，怎么这么多冤魂啊！大师，您刚刚说诵读什么品，真有那么灵吗？"

昙无忏点头回答："《普门品》里面说到，如果遇到冤魂，只要专心持念观音菩萨名号，这些冤魂就不能加害你了。"

沮渠蒙逊听后赶紧说："那赶快给我经文，我马上就念。"

于是，沮渠蒙逊遵照昙无忏的指示，虔诚地沐浴斋戒、持经诵咒，还下令全国老百姓一起跟着念观音菩萨名号。昙无忏又做了一场盛大的法会[2]，度化这些冤魂。三天之后，果然整个国土一片清净，所有鬼魂都已经离去，而沮渠蒙逊居然也不药而愈了。

❷ **法会**：又称法事、佛事。是一种佛教仪式，为说法、供佛、施僧所举行的集会。

就这样北凉国的老百姓全都知道来了一位高僧，让他们从此可以安宁度日。大病初愈的沮渠蒙逊，更是对昙无忏百般礼遇，有什么事一定先请教昙无忏的意见。

北魏的皇帝也听说了昙无忏的厉害，特别派使节去迎请，可是沮渠蒙逊不肯放人，但又迫于北魏的强权不敢得罪，便送给昙无忏许多贵重礼物，表面上同意他去北魏弘法，暗地里却派刺客在半途准备杀害他。

充满智慧的昙无忏，当然知道沮渠蒙逊的诡计，但他还是依约前行，慷慨就义。而奇怪的是，沮渠蒙逊从此又看见身边围绕着许多冤魂，没多久就病死了。

# 好一座大药山!

大师密码

# Witty 风趣

话说得多，往往不如话说得巧，最好一句话就能醒悟人心。唐朝的药山禅师就像一座大药山，凡是愁眉苦脸前来向他请教问题的人，离开时都像采得良药般欢喜，因为药山的一句话，就是根治烦恼的清心良药。

药山在十七岁时，追随西山慧照禅师出家。博通经论，严持戒律的他，曾先后向禅宗两大禅师石头希迁、马祖道一学禅，开启了大智慧，从此对禅法没有疑惑障碍。他后来在澧州药山传扬禅法，以灵活机智的教法，让学禅在当时成为一种流行。

风趣幽默的他，连笑声都与众不同。据说他有次晚上爬山，因为云开见月，就大笑了一声，那一声竟然传到了澧阳东九十余里，所有的居民都听到了。而药山的禅法就像他的笑声一样简单，但是充满了智慧。

**小档案** 药山

- 国籍：中国
- 谥号：弘道大师
- 专长：禅修
- 影响：大振唐朝禅宗宗风
- 事迹：常以幽默一语道破人们的烦恼

药山以盛产药材而得名，山上有四百多种药材和一位知名老和尚，人们喜欢到药山采草药治病，也喜欢上山找这位风趣幽默的药山禅师，解开心中的烦恼。

其实药山禅师的话并不多，简简单单两三句而已，但就这两三句话，便足以让人悟出人生的道理。

有一天，一位弟子满脸困扰地问药山禅师："师父，我怎么想，就是想不透生死大事，还请您慈悲帮我解惑。"

药山禅师知道这名弟子的悟性还不够，说多了只会愈听愈糊涂，便笑着说：“要我对你讲一句话并不难，你能体会最好；万一不能体会，反而让你费心思量，增添烦恼，那就是我的罪过了。不如这样……”

弟子好奇地追问：“怎样？”

药山禅师把食指放在自己的唇上：“不如大家都不要开口，以免互相拖累对方。现在你赶紧去扫地，什么话也别问了！”

弟子摸摸头，傻傻地又开口问：“可是……”

药山禅师拿着扫把递给弟子：“没有可是，去扫地吧！”弟子只好接过扫把，乖乖地去扫地。

后来，这位还没开窍的弟子扫地也扫出一点修行心得，又想去跟药山禅师报告一番，却见药山禅师坐在禅堂里，没有打坐，而是悠哉地看经书。

弟子疑惑地问：“师父，您平常不是不让我们看经吗？为什么您自己却可以看经呢？”

药山禅师不许弟子看经的原因，是怕他们错把知识当作修行，而忽略实践，所以要他们先从日常的作息中去体验禅的精神，而不要死读书。但他自己能够跳脱文字的束缚，当然是可以读经的。

药山禅师放下经书，假装认真地说：“我只是用经书来遮眼睛！”

弟子不服气地再问：“那我可以学您用经书遮眼睛吗？”

药山禅师睁大眼睛看着他说：“如果是你的话，就算是厚如牛皮，也遮不住你的眼睛。”

药山禅师三言两语就让弟子哑口无言了，他知道自己离悟道还差得远，便决定更加努力修行。又过了好一阵子，这名弟子来请药山禅师登上法座，为自己讲说禅法，药山禅师却一言不发，只坐了一下就下座了。

弟子急忙问：“师父为什么一句话也没说，就下座了呢？”

药山禅师笑着说：“你怎能怪我呢？讲经的有经师，谈律的有律师，说论的有论师，而我，是一个禅师，我要说什么？”

经药山禅师这一提醒，弟子终于恍然大悟了，禅法是要运用在生活中的，而不是用嘴巴说说道理就算了的。

药山禅师幽默而不失风趣的说法方式，不仅让许多学僧慕名而来，也吸引了无数名人雅士前来请教。像地方太守李翱，一向对佛法颇有见解，同时也是一位文采翩翩的大文豪，他听说药山禅师的盛名后，专程上山拜访。

原本兴高采烈的李翱，还编织出一幅和禅僧你来我往、吟诗作偈的禅意画面。没想到一走进禅堂，只见药山禅师正在一个劲儿念经，完全没有停下来理会他的意思。李翱有点不高兴，心想以自己的身份地位，竟然被药山禅师如此冷淡地对待，真是太过分了。

李翱气得不愿低头向药山禅师行礼，反而故意轻蔑地说："今天我眼睛所看到的药山禅师，跟我耳朵听到禅师流传千里的名声，实在一点也不相配，简直差上十万八千里。"

说完转头就要离去，药山禅师也不生气，反而神情愉悦地叫住了李翱："李太守，你怎么就要走了？"

李翱停住脚步，以为药山禅师要向他认错，没想到药山禅师面带微笑地反问他："难道你比较看重你的'耳朵'，而比较看轻你的'眼睛'吗？"

李翱是个聪明人，从药山禅师的话中，知道他绝非寻常之人，对于自己只重视表面而误解了药山禅师，也十分羞愧，赶紧向药山禅师礼拜，表示歉意："师父，失礼了！"

药山禅师也回礼："哪里！"

两人聊了一会儿后，李翱提出心中的疑问："请问师父，什么是修行的道？"

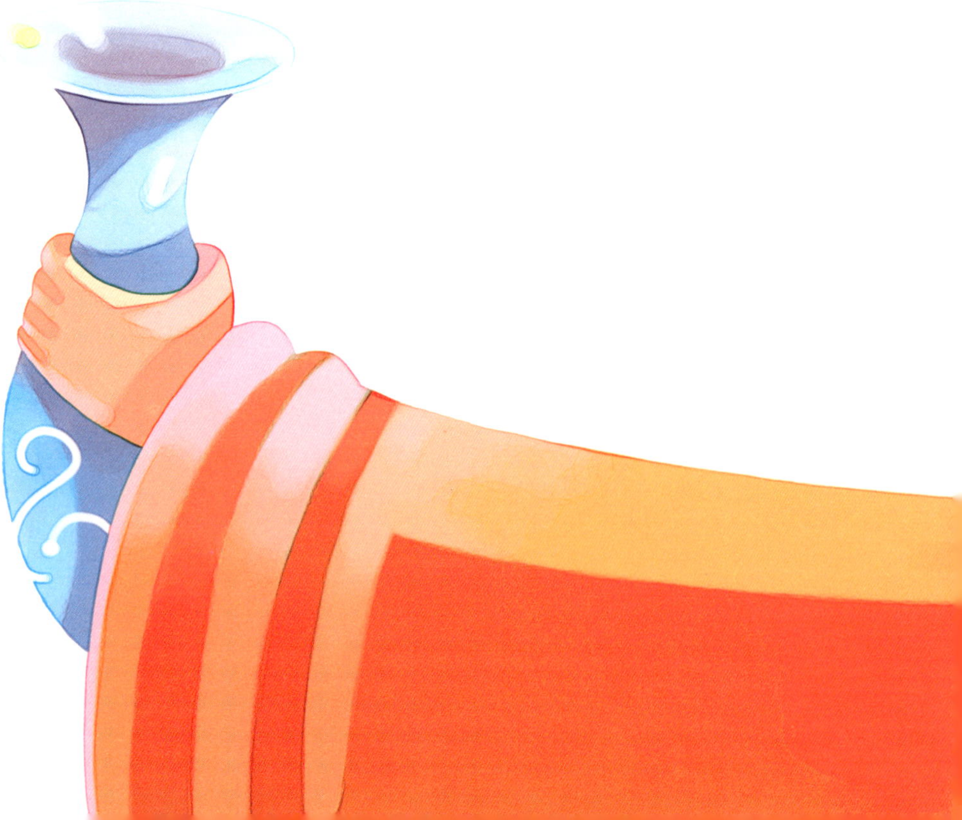

药山禅师一下子指着天空，一下子又指着桌上的水瓶说：“云在青天，水在瓶。”

李翱跟着他的话念了一遍：“云在青天，水在瓶；在天上的叫作云，在瓶里的叫作水……”

原来药山禅师的意思是：人们总是执着于一些想法，所以对自己耳朵所听到的、眼睛所见的一切，会产生偏见，只要能看清楚事物真正的本质，不被外物所束缚，也不被妄念所牵动，就能领悟真理。所以说飘动在天上的就是云，盛装在瓶中的就是水，不必去执着究竟是云下雨变成了水，还是水蒸发变成了云。

经过一番反复思索后，李翱终于理解了药山禅师这句话的本意，开心地回答：“师父，我懂了！”

这下李翱彻底信服了药山禅师，他拜药山禅师为师，成为了他的弟子。从此药山禅师的声名更远播到朝廷，连服侍唐代宗的当权宦官鱼朝恩，也久仰其大名。

这一天，药山禅师的弟子慌慌张张地跑来通知他：“师父！不得了了，那个大官官鱼朝恩带着一队官兵，来到寺院门口，要求见您呢！”

药山禅师冷静地说：“好啊！请他进来吧！”

鱼朝恩大步走进来，一副目中无人的模样，看到药山禅师，也不行礼，劈头就问：“听说师父的道行高深，那我就不客气地问了，《普门品》里面有一段话：‘黑风吹其船舫，飘堕罗刹鬼国。’这‘黑风’指的是什么呢？”

药山禅师没有回答鱼朝恩的问题，跟没礼貌的鱼朝恩一样，大呼小叫地说：“鱼朝恩，你这个笨蛋，问这个问题干吗呢？”

鱼朝恩听了脸色大变，气得火冒三丈，一旁的弟子们更是被吓得说不出话来，就在鱼朝恩准备发怒时，药山禅师突然哈哈大笑起来，这才回说：“这个就是‘黑风吹其船舫’了！”

鱼朝恩忍不住也跟着大笑了起来，面对这位风趣的禅师，连权倾一世的大宦官也甘拜下风，心服口服了！

# 念佛马拉松

## 大师密码 Will 意志

如果要我们一天不睡觉，也许还撑得住，如果要长达三十年都不能在床上呼呼大睡，除非我们变成超人，不然绝对做不到。但是莲宗二祖善导大师却做到了！

幼年随密州明胜法师出家的善导，虽然待人亲切，但对自我修行要求非常严苛。他不但三十多年都不卧床睡觉，整夜禅坐念佛，而且极力避免名利与物质享受，凡得到好衣美食都随手就转送他人，自己仍旧穿粗衣、吃粗食，过着沿街托钵的乞食生活。持戒严谨的善导，以他的高洁行谊，深得众人的敬重，成为修学念佛法门的典范。

善导像是阿弥陀佛在人间的代言人，不但自己用功念佛，亲书《阿弥陀经》十万余卷与“净土变相”三百幅，更带动了当时社会的念佛风气，被尊称为“善导流”。

### 小档案 善导

- 国籍：中国
- 号称：终南大师
- 专长：念佛
- 影响：为莲宗二祖
- 事迹：凡遇毁坏的寺院，必以坚强意志重修

唐朝贞观年间，在长安的光明寺，正举办一场净土法门❶的说法盛会，听说是由一位善导大师所主持的。这消息让千福寺的怀恩和尚有点心动："我修行多年，一直没有进展，不如去听听这位善导大师究竟说些什么。"

怀恩和几个师兄弟一起到光明寺听法，刚踏入大殿，即被弥漫在整个殿内、响彻云霄的"阿弥陀佛❷"佛号声给震慑住了！只见全部的僧众、信徒都跪在地上，跟着法座上一名慈祥的法师一起诵念佛号，每个人的脸上都充满了虔诚，而那位法师更是念得特别投入、浑然忘我。

❶ **净土法门**：往生佛国净土、出离生死的法门。

❷ **阿弥陀佛**：西方极乐世界的教主，具有无量的光明与寿命。

怀恩心想："法座上的尊者应该就是善导大师了！"

他和师兄弟们赶紧找个位置跪下，也跟着诵念佛号："阿弥陀佛、阿弥陀佛……"

就这样不知念了多久，怀恩浑身都热起来，感到一股特别的能量贯穿全身，心底的烦恼和忧虑一股脑儿都不见了，心中充满了宁静、平和。

这时，怀恩看见前方的善导大师，僧衣的背面都湿了一大片，可见他念得多么努力，怀恩因此不禁暗中佩服："这位善导大师的意志力真是惊人啊！"

会后，怀恩未随众人离去，单独留下来向善导大师请益，把自己修行的困惑提出来：“师父，我虽然出家多年，却还是不得其门而入。”

善导大师耐心听完后，回说：“每一个人的慧根❸不同，所以对佛法的领悟也不一样。而念佛法门是最方便的法门，适合所有人修行，最重要的是你一定得立下决心，如同你明天就要死了一般，全力以赴地去念，绝对不能半途而废。”

❸ **慧根**：表示一个人具有能够领悟佛法微妙精髓的智慧根器。

怀恩听后恍然大悟："原来修行之道无他，就是努力用功而已。"于是他决定拜善导为师，专心潜修念佛法门。

善导大师不愧是一位以身作则的好老师，他教导怀恩念佛，自己念得比怀恩还勤快，每天一到殿内念佛，一定念到精疲力竭才肯罢休。

而且每到午饭时间，善导大师也不留在寺中享用午餐，而是拿着一个钵到街上乞食。

怀恩觉得很奇怪，忍不住问："师父，您何必放着美味的寺院斋饭不吃，跑出去乞讨人家的剩菜剩饭呢？这样不是太委屈您老人家了吗？"

善导大师却回问："佛陀尊不尊贵？"

怀恩点头说："当然尊贵了。"

善导大师又说："连尊贵的佛陀，都亲自沿街托钵[4]乞食，我这算得了什么，怎么好意思安心享用寺院的食物？"

怀恩拗不过师父，就想帮他分忧解劳，至少吃过的钵和穿脏的僧衣，由自己来帮忙清洗。但是善导大师也不肯，坚持要自己来，还跟怀恩说："你不用帮我，你的好意，师父心领了！"

[4] **托钵**：出家人以手持钵，游走街市以化缘乞食。

这一天，善导大师照例在大街上托钵乞食，一边唱着佛偈：“渐渐鸡皮鹤发，看看行步龙钟。假饶金玉满堂，岂免衰残痛苦？任汝千般快乐，无常终是到来。唯有径路修行，但念阿弥陀佛。”

有一位少女不知发生了什么事，哭得很伤心，但她一听到善导大师的佛偈，立刻停住了哭泣，上前问善导大师：“师父，您在念什么？”

善导大师和蔼地回说：“我在奉劝世人，就算一个人一生有多么荣华富贵，也是虚假的，生老病死的种种无常，时间一到，就会来找你，所以要及早念佛，求往生净土世界。”

少女眼中露出一丝光亮，向善导大师请求：“师父，我的家境贫苦，母亲最近又生了重病，随时都可能会死，我不知道该怎么做，才能帮助我的母亲。”

善导大师反问：“这就是你一直哭泣的原因？”

少女无言地点点头，善导大师又说：“首先你要擦去泪水，不要在母亲的身边哭泣，或者哀叹悔恨，这样反而会扰乱她的心神，让她不舍得离去。你要接受死亡是人生的必然，不要害怕死亡。”

少女赶忙把脸上的泪水拭去，露出一抹微笑。

善导大师接着说："其次，从现在起，要一心不乱诵念阿弥陀佛佛号，祈请阿弥陀佛的接引，往生西方极乐净土，以求彻底解脱生死轮回之苦。你也要叮嘱亲友，探望你母亲时，不必多说安慰的话，只要好好为临终者专心念佛。"

少女疑惑地问："就这么简单？"

善导大师慎重地说："念佛虽然容易，但是要做到意志集中却不容易，一定要有往生西方净土的大决心，才能做到。"

少女如释重负地向善导大师顶礼：“谢谢师父的指点，我现在就回家跟母亲说这件事，然后赶紧念佛。”

送走了少女，善导大师又回到他安宁自在的世界里，继续诵念佛号。

过了好一段时间，善导大师在街上托钵时，又遇上了这位少女，她一见到善导大师便开心地上前：“师父！我终于找到您了！”

善导大师笑着说：“原来是你！”

少女神色愉悦，跟之前哭丧着脸的她完全判若两人：“师父！您的话真灵验，我回家后就跟母亲一起虔心念佛，果然母亲临终时，走得非常平静，而且我还梦见她来跟我说，她在净土世界过得很快乐！我真不知道该如何报答您！”

少女边说边顺手把手中拎着的糕点交给善导大师："我现在做女红赚取家用，这盒糕点是刚刚买的，就请师父接受我这点微薄的心意，等我赚够了钱，再另外供养师父。"

善导急忙挥手："不必多礼！"

但少女已把糕点放在钵碗中："师父，您收下吧！我先走了。"

善导大师把糕点送给乞丐们，自己并不享用："大家一起吃吧！"

守戒甚严、不求名闻利养的善导大师，就算有信徒给予财物供养，也都分送给大家，不然就用来书写《阿弥陀经》，他一共写了十多万卷，还画了三百多幅"净土变相"的图画，弘扬净土法门，被世人尊为"莲宗二祖"。

# 最会背书的人

## 大师密码 Wise聪慧

你能一次背出唐诗三百首吗？背书对一般人来说，是一件头痛的事，总是随记随忘，如果能够像北魏的道融大师，拥有过目不忘的好本领，背书不但不是难事，而且比存档在会中毒、死机的计算机中还可靠呢！

十二岁出家的道融，喜欢四处游学，才三十岁就已精通佛学与诸子百家的学问。由于他天生过目不忘，可以说他自己就是一部活字典，想要知道任意一部经典内容，可以请他直接背诵出来。道融曾协助中国佛教四大译经家之一的鸠摩罗什译经，因此深受鸠摩罗什的赏识，鸠摩罗什曾赞美说佛法要兴盛，要靠道融。

当时曾有一婆罗门挑衅佛教，道融是公认的迎战不二人选，他果然不孚众望智退挑衅者，守护了中国佛教的尊严。

**小档案** 道融

- 国籍：中国
- 别称：九辙法师
- 专长：译经、演说
- 影响：著作多部佛经义疏
- 事迹：以过目不忘的惊人记忆，打败了诸多来挑战的论师

阳光从藏经楼的小木窗里穿入，照得一册册的经书都发亮了。

这一天，来了一个小沙弥❶，推开藏经楼大门，当他看到这些浩瀚的藏书时，眼睛里散发出强烈的光芒："好——好多经书！"

小沙弥走到一排排书架前，仔细端详着每一部经典，然后小心翼翼取出其中一本，一页页翻读，心想："就是这本了！"

他拿着经典，往藏经楼的角落里走去，向正在掸灰尘的和尚说："师父！我想借这本经书。"

和尚仍忙着自己的事，顺口说："去那边拿借书册登记一下。"小沙弥在借书册上一丝不苟地写下经书名称，并签上自己的名字"释道融"。

❶ **沙弥**：指佛教僧团中尚未受完整戒律，年龄在七岁以上、未满二十岁的出家男子。

夜晚的藏经楼，安静得只剩下和尚拿起钥匙准备关门的声音，这时道融忽然出现了，和尚被他吓了一跳："你这么晚跑来干什么呢？"

道融恭敬地回答："我来还书。"

和尚急着关门，书一收就让他走了，也没多说什么。没想到隔天清早，和尚赶来开门时，看见小沙弥已经等在那里："你又来了！"

道融轻声说："我想再借另一本经书。"

和尚开了门后说："好了，去拿吧！"道融拿了经书，不忘在借书册上再仔细签名，而后，像捧着宝物似的欢喜离开了。

和尚心底揣测："不会晚上又来还书吧？"果然被他猜中了，道融在藏经楼即将关门的那一刻，又来还书了。

就这样，道融每天早上借书，晚上还书，几个月过去了，藏经楼的经书都快被他借遍了。和尚虽然对他借书的行为习以为常，但还是忍不住好奇地暗想：“他真把经文全读完了吗？”

就在道融还回最后一部经书时，和尚开口问他：“你每次借经书，都是当天就还了，读了这么多本书下来，你确定每一本都读熟了吗？”

道融点点头，和尚不信，从书架上随便拿出一本说：“好！那你告诉我这本经书讲了些什么？”

道融看了一下书名，随即流畅地背出整本经书的内容，一字不差，简直让和尚傻眼了，他不死心地拿出另外一本：“那这一本呢？”

道融又看了一下书名，毫不迟疑地又背出所有经文。

和尚的嘴张得大大地说：“真的一个字都没漏！你的记忆力为何会这么好？”

道融这才不好意思地说：“就因为我的记忆力比别人好一点，所以我的师父才叫我出来游学。”

和尚赞许地说：“你这哪算好一点，简直是好一千倍，你真是我见过的最聪慧的出家人！”

脸红的道融不好意思地点点头回答：“也感谢您这些日子来的照顾。”

道融未辜负师长对自己的期望，三十岁就已经是博学之士了，他不但遍读所有佛书，连诸子百家的经典也了如指掌，当他得知著名的翻译家鸠摩罗什来到中国时，特地前去请益，两人交换读经的心得，相谈甚欢。

罗什还高兴地向皇帝姚兴推荐：“这个道融是位极其聪慧的人，应该请他到逍遥园，加入我们的译经团队。”

姚兴听后，赶紧召见道融，对他的满腹经纶也佩服不已，直接邀请他："现在正是佛法兴盛的好时机，除了罗什大师外，更需要您这样的人才一起努力。"

道融答应了邀约，不但担任了罗什翻译工作的助手，还在宫中开讲佛经，赢得众人的赞赏。

不久，印度有位婆罗门❷，听说鸠摩罗什在中国大兴佛法，内心非常不服气："印度不只有释迦牟尼的佛法而已，还有我们尊贵的婆罗门教，这个鸠摩罗什竟然在中国兴盛佛法，我们的教法反而没有人相信，我一定要摧毁他们的佛法，让婆罗门教可以在中国流传。"

于是他骑着骆驼，载着整箱经文，一路穿越沙漠来到长安，求见姚兴，姚兴也被他的辩才所吸引，婆罗门趁机说："真正的道理是愈辩愈分明，不如请一位中国僧人来和我辩论，谁赢的话，就传扬谁的法门。"

❷ **婆罗门**：古印度社会阶级地位最高的人，掌握印度所有知识学问。他们的责任为学习与教授知识、为自己与他人祭祀、布施与受施。

姚兴虽然笃信佛教，但也想试试鸠摩罗什译经团队的能力，便答应让他们辩论。消息传到逍遥园，译经团队的中国僧侣个个胆战心惊，没人敢出面应战。

罗什转头对道融说：“你去吧！我看只有你的实力，才足以对付这个盛气凌人的婆罗门，虽然他的才思敏捷，但是你的聪慧也不会输给他。”

罗什放心地把这个重任交给道融，道融则思忖：“知己知彼才能百战百胜，我还是先去了解对方究竟读了些什么吧。”

道融便请人暗地将婆罗门所带来的经书目录抄了下来，然后凭借他过人的记忆力，一口气把所有的目录都背诵下来，并运用他的智慧理解了大意。

辩论大会的当天，皇帝姚兴亲自坐镇，许多知道消息的皇亲国戚和大臣们也都跑来看热闹，乃至四面八方的僧众也赶来一睹盛况："这一场辩论百年难得一见，佛教和婆罗门教的大对决，不来看个究竟，实在太可惜了！"

就在车水马龙的盛大场面中，婆罗门滔滔不绝地道出精辟的论点，道融则将他所背诵的婆罗门教经典目录流畅地诵出，然后再以佛教的道理逐一加以反驳，一旁的观众不停地窃窃低语："这婆罗门读的书已经够多了，没想到道融读的比他还多，连婆罗门教的书也都知道，算起来道融列出他读过的书，还比婆罗门多出三倍呢！真是太厉害了。"

整场辩论会中，道融以铿锵有力、旁征博引的论述，终于将婆罗门逼到无言以对的地步，原本狂傲的他低头向道融顶礼[3]：“我认输了！中国佛教有您这样的人不兴盛也难！”说完他就悄然离开了，现场爆出如雷的掌声，一致为表现杰出的道融欢呼不已。

[3] **顶礼**：是印度最高级的敬礼。行礼方式为两膝、两肘着地，以头顶行敬礼。

# 我不再做梦了！

大师密码

## Wake Up 醒悟

明朝的蕅益，从小就好学不倦、志气不凡，以光大儒家思想为己任，发誓要灭除佛教。但他万万想不到，他最讨厌的佛教，后来反而变成他一生的志业。让蕅益产生思想大逆转的关键，是因为读到明朝莲池大师的作品《自知录》与《竹窗随笔》，让他发现过去对佛教的误解太深，深深懊悔随意谤佛的错误。因此蕅益烧毁了所有谤佛的文章，从此一心向佛，于二十四岁时，随憨山大师的弟子雪岭法师出家。

蕅益自认上不及古代的儒者、禅者、律者、教者，下不屑现世冒名的儒者、禅者、律者、教者，因此为自己取了“八不道人”的名号。谦虚的蕅益其实通达多家思想，他主张融合佛、道、儒三教，综合佛教各家思想体系，不愧是佛教一代大思想家。

**小档案** 蕅益

- 国籍：中国
- 姓名：钟际明
- 别称：八不道人
- 专长：佛学研究、禅修、念佛
- 影响：明代四大高僧之一
- 事迹：醒悟谤佛过错，力弘佛法

明朝末年，在江南水乡一间书塾里，几个学生刚下课，随之传来一阵阵谈笑声，直飘到下着细雨的街道上。

一名长相端正的大男孩，正高声阔论说：“《大学》说得好，修身、齐家、治国、平天下，我们生长在这个衰落的时代，更应该发扬儒家精神，以孔孟之道来拯救天下。”

其他孩子也跟着应和：“际明，你说得好！我们之中就属你最了解孔孟思想，这个救世的重责大任，就落在你身上了。”

名叫钟际明的少年，被同伴一吹捧，不禁更加得意：“不瞒各位，我每天都梦见孔夫子和他的弟子颜回，来跟我说教呢！”

大伙儿起哄道：“是啊！连孔夫子也赏识你呢！”

钟际明接着又说：“我们儒家积极救世，不像佛教出家弃俗，不足为取。想想看，如果每一个人都出家的话，这个国家不就没人关心、彻底灭亡了吗？”

众人点头：“没错！佛教真的是不可取，太逃避现实了！”

钟际明忽然眼睛一亮说：“不如这样吧！我来写几篇文章，好好驳斥佛教这个异端。”

所有人一致叫好，这更加深了钟际明这个爱国的热血少年，反对佛教的决心，这时的他早已忘记，自己可是父亲持诵《大悲咒》[1]十年，梦见观音送子，才出生到这个世界上的。

[1] **《大悲咒》**：本咒出自《千手千眼观世音菩萨广大圆满无碍大悲心陀罗尼经》，又称《千手千眼观世音大悲心陀罗尼》，为千手千眼观世音菩萨的根本咒。

才华横溢的钟际明，就这样陆陆续续写了数十篇驳斥佛教的文章。直到十七岁这一年，他在父亲的书桌上，看见一本莲池大师所写的《竹窗随笔》。

“这是什么书呢？”钟际明信手把它拿来翻了一翻，立即被里面所写的内容吸引了。

父亲这时正好走进书房，见儿子在翻阅这本书，便说：“莲池大师是我们明朝最重要的佛教人物之一，和憨山、紫柏齐名，他的学问和品行都为人所推崇。除了这本《竹窗随笔》外，另一本《自知录》也写得很好！”

钟际明点点头，浏览著书中一篇篇短文，这本书不但对佛教各个派别有很正确的介绍，连佛、儒之间的一些争论，也提出了精辟的论述。

父亲看际明读得很投入，便悄悄退出房外，不再打扰他。时间不知过去了多久，际明窝在父亲的书房不知不觉已把这本书读完，掩上书卷后，他叹了一口气：“我错了！我对佛教误解太深了，佛教的弘法利人，就是在做救世济民的伟大事业，而且佛教能够让人醒悟，脱离人世之苦，光是这点就足以广为传播。”

经过一番悔悟后，钟际明把他过去所写的反对佛教的文章，统统烧掉了。

这一年的冬天格外冷，飞雪笼罩着整个大地，也笼罩在二十岁的钟际明心间。父亲意外死亡，让他非常震惊，也因此更感到人生无常。

母亲一边收拾父亲的遗物，一边嘱咐他说："待会儿有法师会来为你父亲诵经，你去关照一下吧！"

钟际明心底也很想为死去的父亲做一些事，希望父亲能够往生到好的去处，便跟着前来诵经的法师们一起诵起了《地藏菩萨本愿经》❷。

❷**《地藏菩萨本愿经》**：内容是介绍地藏菩萨为救度众生所发起的根本誓愿。

才诵到一半，钟际明就泪流满面了，他被经文中地藏菩萨救母的孝行深深感动了，钟际明擦拭泪水，看着一旁庄严的法师，全心专注念经的慈悲模样，心中忽然生出了一个念头："我好想出家！"

过了两天，钟际明将自己所写的两千多篇儒家书稿全部毁掉，从此专心念佛，并开始接触佛教经论，后来读到《楞严经》[3]的一段话时，由于读不懂，更加深了他想出家的心愿："出家可以让我了解真理，醒悟人生。"

"憨山师父，我一直很崇拜您的德行，只可惜都没办法见上一面。我想求您教我最上乘的佛法。"当钟际明见到仰慕已久的憨山大师时，忍不住激动地落下泪来。

憨山大师肯定地说："很好，你有向上的志气，非常难得，以后一定可以成就佛法大业。"

[3] **《楞严经》**：全称《大佛顶如来密因修证了义诸菩萨万行首楞严经》，是极重要的大乘佛教经典。

钟际明正要进一步追问时，却忽然惊醒了，他这才明白原来是自己做的一场梦，而这已经是他这个月第三次梦见憨山师父了："我和憨山师父有缘！应该拜他为师才是。"

但当时憨山大师人远在南方的曹溪，钟际明根本不可能见到他。

等着出家机缘的钟际明，已经二十四岁了，这三次的梦境都带给他很好的醒悟：“我要求最上乘的佛法，这不过是凡夫之见而已，真正的佛法哪会分什么上下呢！”

可就在他梦见憨山大师后不久，憨山大师的弟子雪岭正好来附近行脚，钟际明见机不可失，决定去拜访雪岭法师，请求他为自己剃度。

为了当好一个出家人，钟际明特别发了三个誓愿：“（1）我还没证得佛法真理时，绝不收任何弟子；（2）我不登上高座为人说法；（3）我宁愿饿死，也不为了我这具肉身，而去助念或化缘。”

出家前，他又担心会留下母亲孤独一人，便请求当官的舅舅代为照顾母亲，但舅舅却不以为然地讽刺说：“你是不屑世俗名利，想自命清高地跑去出家，好当一个指导他人的善知识吗？”

钟际明平静地回答："佛法对一切都平等地看待，没有所谓的高低之分。"

舅舅不满地又说："既然如此，那你又何必非出家不可？"

钟际明回答："我只想恢复自己本来的面目，不想再被任何的烦恼和欲望所牵绊了。"

舅舅一听，知道钟际明的智慧早已超出一般人，看着钟际明坚毅的眼神，知道无法说服他，只好答应说："你去吧！舅舅会支持你的。"

钟际明开心地拜雪岭法师为师，得到智旭的法名，又自号为蕅益。日后他重整明朝松散的戒律，并全心弘扬念佛法门，成为净土宗第九代祖师，而且和莲池、憨山、紫柏同被尊为明朝四大高僧。钟际明知错能改、醒悟的决心，更为世人所津津乐道。